Clara,
la fée
de Noël

Pour Holly Sarah Williams,
ma magnifique nièce

Un merci spécial à
Narinder Dhami

Catalogage avant publication de
Bibliothèque et Archives Canada

Meadows, Daisy

Clara, la fée de Noël / Daisy Meadows ;
illustrations de Georgie Ripper ;
texte français d'Isabelle Montagnier.

(L'arc-en-ciel magique)
Traduction de: Holly, the Christmas fairy.
Pour les 6-9 ans.

ISBN 978-1-4431-1175-1

I. Ripper, Georgie II. Montagnier, Isabelle III. Titre.
IV. Collection: Meadows, Daisy. Arc-en-ciel magique.

PZ23.M454Cl 2011   j823'.92   C2011-901776-8

Édition publiée par les Éditions Scholastic,
604, rue King Ouest, Toronto (Ontario) M5V 1E1

5 4 3 2 1   Imprimé au Canada 116   11 12 13 14 15

MIXTE
Papier issu de
sources responsables
FSC® C011825

Clara, la fée de Noël

Daisy Meadows

Illustrations de Georgie Ripper

Texte français d'Isabelle Montagnier

Éditions ■SCHOLASTIC

Le palais du
Royaume
des fées

La ferme du coteau joli

Les sapins
de Noël

FERME DU
COTEAU JOLI

La ville
de Combourg

Le château de glace du Bonhomme d'Hiver

Le chalet du père Noël

CENTRE COMMERCIAL DE L'ARC-EN-CIEL

La maison de Rachel

Le centre commercial

Le traîneau du père Noël a disparu!

Si les rennes se plient à ma volonté,
Noël sera différent cette année.
Tous les cadeaux des petits enfants
seront tous pour moi maintenant!

Rennes magiques, vous allez m'écouter.
Un sort puissant je vais vous jeter,
et loin d'ici vous allez m'emmener
dans le ciel nocturne étoilé.

Trouve les 9 lettres cachées sur des petites feuilles de houx dans les illustrations, puis remets-les dans l'ordre pour former un mot spécial des fêtes.

Table des matières

Maladresse magique

Rachel Vallée attache des cartes de souhaits à de longs morceaux de ruban rouge, afin de les accrocher au mur du salon.

— Plus que trois jours! s'exclame-t-elle joyeusement. J'adore Noël! Et toi, Karine?

Karine Taillon, la meilleure amie de Rachel, hoche la tête et lui tend une autre pile de cartes :

— Bien sûr, c'est une période magique!
Les deux fillettes éclatent de rire et
touchent les médaillons dorés qu'elles
portent autour du cou. Elles partagent un

secret merveilleux
que personne ne
connaît : elles
sont amies avec
les fées! Karine
et Rachel se sont
rendues plusieurs
fois au Royaume
des fées pour aider leurs
petites amies ailées. La première fois, elles
ont sauvé les fées de l'Arc-en-ciel qui
avaient été chassées de leur royaume par
le méchant Bonhomme d'Hiver. Ensuite le
Bonhomme d'Hiver et ses gnomes ont volé
les plumes magiques de Rouky, le coq qui
a le pouvoir de faire la pluie et le beau

temps au Royaume des fées. Karine et Rachel ont aidé les fées du temps à retrouver toutes les plumes de Rouky.

En récompense, le roi Obéron et la reine Titania ont donné aux fillettes deux médaillons en or remplis d'une poussière magique pour qu'elles puissent se rendre au Royaume des fées quand ces dernières ont besoin d'aide.

— Merci de m'avoir invitée chez toi, dit Karine en coupant un autre morceau de ruban. Maman a dit qu'elle viendrait me chercher avec papa la veille de Noël.

— Il neigera peut-être d'ici là, dit Rachel en souriant. Il fait de plus en plus froid. Je me demande comment est Noël

au Royaume des fées.

À ce moment-là, la porte s'ouvre et
Mme Vallée entre dans la pièce suivie de
Bouton, le chien de Rachel. Bouton est un
chien très gentil au long poil blanc
parsemé de taches grises et à la queue
touffue.

— Oh! Comme c'est joli, les filles!
s'exclame Mme Vallée en voyant les cartes

accrochées au mur. Ce soir, nous irons
chercher un sapin de Noël à la ferme du
coteau joli.

— Youpi! s'écrie Rachel. Est-ce que
Karine et moi pourrons le décorer?

— C'est ce que nous espérions, répond
Mme Vallée en riant. Après le dîner, vous
pourrez aller chercher les décorations dans
le garage.

— On dirait que Bouton aime Noël lui
aussi, dit Karine avec un sourire.

Le chien est en train de renifler les cartes
et les rubans.

— Oh oui! Chaque année, je lui achète
des biscuits pour chien, explique
Rachel. Je les emballe
avec du papier cadeau
et chaque année, et
il les trouve et il les
mange avant Noël!

Bouton remue la queue, puis il saisit le bout d'un ruban et s'enfuit en le tirant derrière lui.

— Arrête, Bouton! crie Rachel en se lançant à sa poursuite avec Karine.

Après avoir accroché toutes les cartes, elles dînent d'une soupe bien chaude. Ensuite, Rachel emmène Karine au garage pour chercher les boîtes de décorations.

— Il fait de plus en plus froid, remarque Karine en frissonnant. Il va peut-être neiger!

— Je l'espère, répond Rachel.

Elle allume l'ampoule du garage et elle montre du doigt une étagère située au-dessus de l'établi.

— Les décorations sont là-haut. Je vais monter sur l'escabeau et je te passerai les boîtes.

— D'accord, répond Karine.

Rachel grimpe sur l'escabeau et commence à descendre les boîtes de l'étagère. Elles contiennent des étoiles argentées, des glaçons étincelants et des boules scintillantes de couleur rose, violette et argentée.

— J'espère que tu as une fée pour la cime du sapin, plaisante Karine tout en prenant une boîte.

— Eh bien, non! répond Rachel en riant. Nous avons une étoile argentée, mais elle commence à se faire vieille.

Elle soulève une autre boîte et avertit son amie :

— Fais attention. Celle-là déborde.

— Oh! s'exclame Rachel, surprise. Son médaillon doré s'est accroché à une minuscule couronne étincelante faite de brindilles. Le médaillon s'ouvre et la

poussière magique se répand sur les fillettes.

— Oh non! crie Rachel en descendant de l'escabeau à toute allure.

— Que devrions-nous faire? demande Karine.

Mais avant d'avoir eu le temps de réagir, elles sont soulevées par un nuage de poussière magique qui se met à tourbillonner et à luire dans la faible lumière hivernale.

— Karine, nous rétrécissons! s'écrie Rachel. Je crois que nous sommes en route pour le Royaume des fées!

Noël en danger

Comme ce n'est pas la première fois que cela leur arrive, les fillettes ne sont pas effrayées. Toutefois, alors qu'elles tourbillonnent à travers les nuages, Rachel se sent mal à l'aise parce qu'elle n'a pas fait exprès d'utiliser sa poussière magique. C'était un accident!

— Ne t'inquiète pas, dit Karine en remarquant son air embarrassé. Ce sera formidable de revoir nos amies les fées.

Bientôt, les fillettes aperçoivent les maisons–champignons rouges et blanches du Royaume des fées et le palais argenté avec ses quatre tours roses. En approchant du palais, elles voient une foule de petites fées qui leur font signe.

Il y a le roi Obéron et la
reine Titania entourés
de toutes les fées de
l'Arc-en-ciel.
Même
Rouky, le
coq magique,
est venu leur
dire bonjour.
— Bonjour!
disent Rose
et Soleil.
— C'est
merveilleux de
vous revoir! crient
Chloé et Émilie.
Dès que les fillettes
touchent le sol, les fées
les entourent.

Rachel s'empresse d'expliquer son erreur :

— Nous n'avions pas l'intention de venir. C'était un accident.

La reine sourit et répond d'une voix cristalline :

— Non, ce n'était pas un accident. La magie des fées a fait ouvrir le médaillon. Je crains que nous n'ayons encore besoin de votre aide, les filles.

Les deux amies échangent un regard

surpris, les yeux écarquillés.

— Est-ce encore le
Bonhomme d'Hiver?
demande Karine.

— Nous allons tout
vous raconter, répond
la reine, mais
d'abord…

Elle agite sa
baguette vers le
médaillon de Rachel, qui
se remplit de poussière magique et se
referme.

— Maintenant, continue le roi en se
tournant vers les fées, où est Clara, la fée
de Noël?

Karine et Rachel la regardent s'avancer,
très intriguées. Elles ne l'ont pas encore
rencontrée. Clara a de longs cheveux noirs
et porte une robe du même rouge que

celui d'une baie de houx, avec un capuchon garni de fourrure blanche. Par contre, bien qu'elle soit la fée de Noël, Clara affiche un air infiniment triste.

— Clara est chargée de mettre de l'éclat dans la fête de Noël, explique la reine Titania.

— C'est vrai, soupire Clara. Je dirige les lutins du père Noël et j'apprends aux rennes à voler. Je dois rendre Noël aussi

heureux et éblouissant que possible.

— Mais cette année, le Bonhomme
d'Hiver cause des ennuis, continue le roi. Il
avait dit qu'il regrettait tout ce qu'il avait
fait et avait promis de bien se comporter.

— Mais maintenant, il recommence à
jouer de vilains tours, ajoute la reine
Titania.

— Que s'est-il passé? demande Rachel.

— Eh bien, le
Bonhomme d'Hiver
a envoyé une lettre
au père Noël pour
lui demander des
cadeaux, explique
le roi. Mais le père
Noël lui a
répondu qu'il
avait été trop
désagréable et qu'il

ne recevrait rien du tout cette année!

— Nous allons vous montrer la réaction du Bonhomme d'Hiver, dit la reine.

Elle agite sa baguette au-dessus d'un petit bassin d'eau bleue qui se met à faire des bulles et à pétiller, puis devient lisse comme un miroir.

Des images apparaissent à la surface de l'eau. Karine et Rachel distinguent un paysage de neige et de glace en pleine nuit, et une grande cabane en rondins au toit bordé de glaçons. La cabane est

remplie de jouets : des poupées, des casse-
têtes, des bicyclettes, des jeux et des livres
s'entassent partout. Karine et Rachel n'ont
jamais vu autant de jouets.

— Oh! s'exclame Karine en mettant
une main devant sa bouche. Regarde,
Rachel!

Dans un coin de la cabane se trouve un
magnifique cheval à bascule en bois.
Quelqu'un est en train de peindre des
motifs dorés sur la bascule. Il porte des

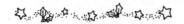

vêtements rouges et blancs. Son visage est jovial et il a une grande barbe blanche.

— C'est le père Noël! s'écrie joyeusement Rachel.

Puis la scène change. Les fillettes voient maintenant l'extérieur de la cabane et le traîneau du père Noël, blanc et argent, tout scintillant de magie. Huit rennes sont attelés et attendent patiemment en secouant leurs bois de temps en temps.

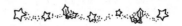

De nombreux petits lutins habillés en
vert s'affairent autour du traîneau et le
remplissent de cadeaux. Les clochettes de
leurs chapeaux pointus tintent
gaiement tandis qu'ils vont
et viennent, les bras
chargés de paquets.

Karine et Rachel
sont si excitées
qu'elles oublient
presque la raison
pour laquelle elles
regardent tout ça.
Mais juste au
moment où le
traîneau est enfin
plein, le Bonhomme
d'Hiver fait son apparition.

Sous les yeux des fillettes, il observe la
scène de derrière la cabane en rondins. Dès

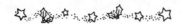

que les lutins ont quitté le traîneau, il se
précipite et saute dedans. Il saisit
les rênes et prononce
une formule magique
pour que les rennes lui
obéissent. Le traîneau
se soulève du sol et
disparaît dans le ciel nocturne étoilé.

Quand les lutins voient ce qui se passe,
ils se lancent à la poursuite du Bonhomme
d'Hiver, mais le traîneau magique est si
rapide qu'ils ne peuvent pas le rattraper.

— Oh non! s'écrie Karine. Il a volé le
traîneau du père Noël!

— Maintenant vous comprenez
pourquoi nous avons besoin de votre aide,
dit la reine Titania tandis que l'image
s'estompe. Clara doit trouver le traîneau et
le ramener avant la veille de Noël, sinon
tous les enfants du monde seront privés

d'un beau Noël!

— Nous pensons que le Bonhomme
d'Hiver a emporté le traîneau dans votre
monde, ajoute Clara. Il adore les fêtes,
alors il ne voudra pas manquer Noël.
M'aiderez-vous à le
retrouver?

— Bien sûr,
s'exclament Rachel et
Karine d'une seule
voix.

Clara leur adresse un
grand sourire et leur fait un
câlin :

— Merci!

— Par où devrions-
nous commencer? demande Rachel.

— Comme d'habitude, la magie
viendra à vous, répond la reine Titania
avec un sourire. Vous saurez si vous êtes

sur la bonne voie et Clara vous aidera.
Mais il y a une dernière chose que vous
devez savoir…

La reine agite de nouveau sa baguette
au-dessus du bassin. Les fillettes voient
l'image de trois cadeaux apparaître dans
l'eau. Ils sont emballés dans du magnifique
papier doré et ornés de grands nœuds aux
couleurs de l'arc-en-ciel.

— Ces trois cadeaux étaient sur le
traîneau quand le Bonhomme d'Hiver l'a
volé, explique la reine. Ils sont très
spéciaux. S'il vous plaît, essayez de les
retrouver tous les trois!

Rachel hoche la tête.

— Nous ferons notre possible, dit
Karine.

Le roi s'avance en tenant un sac doré :

— Ceci vous aidera à
vaincre le Bonhomme d'Hiver.

Il ouvre le sac et montre aux
deux fillettes une couronne de
fée étincelante.

— Cette couronne possède une magie
puissante. Si le Bonhomme d'Hiver la met
sur sa tête, il sera immédiatement
transporté devant la reine Titania et moi.

Karine prend le sac et passe la sangle sur
son épaule.

— Bonne chance, Rachel et Karine!
lance la reine.

Elle agite sa baguette et envoie une
autre pluie de poussière magique qui
tourbillonne tout autour des fillettes.

Bouton en cavale!

— Nous sommes de retour! s'écrie Rachel alors que les nuages de poussière magique se dissipent.

Les fillettes sont de nouveau dans le garage de la famille Vallée.

Karine époussette ses jeans sur lesquels il reste un peu de poussière magique.

— Et nous avons retrouvé notre taille

normale, ajoute-t-elle. Pauvre Clara. J'espère que nous pourrons l'aider!

— Nous allons trouver le Bonhomme d'Hiver, affirme Rachel, mais nous devrions rentrer ces décorations de Noël dans la maison. Maman va se demander où nous sommes passées.

Karine met le minuscule sac doré dans sa poche pour ne pas le perdre. Ensuite, elle aide Rachel à porter les boîtes dans la

maison. Une fois à
l'intérieur, elles
commencent à
examiner les
décorations.

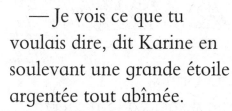

— Je vois ce que tu
voulais dire, dit Karine en
soulevant une grande étoile
argentée tout abîmée.

— Maman me laissera peut-être acheter
quelque chose de nouveau pour la cime du
sapin, répond Rachel. J'aimerais vraiment
avoir une fée cette année!

Les fillettes passent le reste de l'après-
midi à trier les décorations. Puis, à six
heures, le père de Rachel rentre du travail
et ils vont tous à la ferme du coteau joli
pour choisir un sapin de Noël.

— On dirait que tout le monde a eu la
même idée! s'exclame Mme Vallée alors

qu'ils arrivent à la ferme.

Il y a beaucoup de gens à la recherche de sapins de Noël. Il semble y avoir des centaines d'arbres de toutes les formes et de toutes les grandeurs.

— Nous aurons l'embarras du choix! lance Karine.

— Et nous allons trouver le sapin parfait, ajoute Rachel en descendant de voiture.

Les deux fillettes se dépêchent de traverser le terrain de stationnement. M. et Mme Vallée les suivent avec Bouton. C'est une soirée claire et froide, et les étoiles scintillent dans le ciel noir.

— Choisissez-en un pas trop grand, dit Mme Vallée. Sinon, nous ne pourrons jamais le faire passer par la porte d'entrée.

Rachel et Karine se promènent entre les rangées de sapin. Mais elles n'arrivent pas à en trouver un parfait. Ils sont tous trop grands, trop petits, trop touffus ou encore trop maigres.

Rachel aperçoit alors devant elle un sapin dont les aiguilles sont si vertes et si brillantes qu'elles semblent luire dans l'air glacé. *Cet arbre semble parfait*, pense-t-elle en s'approchant. *Il n'est ni trop grand, ni trop petit.* Soudain, elle voit une lueur rouge, juste au milieu du sapin. Puis un petit visage lui jette un coup d'œil furtif.

— C'est moi! crie Clara.

Elle agite sa baguette et des baies de houx étincelantes rebondissent dans les branches du sapin.

Rachel se met à rire.

— Karine, viens ici! s'écrie-t-elle.

Son amie se précipite vers elle.

— Que fais-tu ici, Clara? demande-
t-elle. Est-ce que le Bonhomme d'Hiver est
dans les parages?

Mais avant que Clara ait pu répondre,
Mme Vallée pousse un cri. Bouton dépasse
les fillettes en courant, traînant sa laisse
derrière lui. Il aboie furieusement.

— Arrêtez-le, les filles! crie Mme Vallée.
Je ne sais pas ce qui se passe. Il m'a
arraché la laisse des mains!

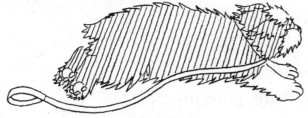

— Nous allons l'attraper, maman, lance
Rachel. Surveille notre arbre!

Clara saute dans la poche de Karine et
les fillettes poursuivent le chien surexcité.
Bouton a quitté la cour de la ferme et file
vers un chêne.

Soudain, Karine voit une ombre sauter de derrière l'arbre et se diriger vers une vieille grange. Malgré l'obscurité, elle distingue un nez pointu et de grands pieds.

— Oh! s'écrie-t-elle. Je crois que Bouton poursuit l'un des gnomes du Bonhomme d'Hiver.

— Je savais qu'ils rôdaient par là, crie Clara. Vite! Poursuivez-le!

Bouton est à côté de la grange et renifle la porte.

— Le gnome doit être à l'intérieur, chuchote Rachel en saisissant la laisse du chien.

Elle se dépêche de l'accrocher à un clou

sur le mur de la grange et donne
une petite tape à
Bouton.

— Attends-nous ici,
murmure-t-elle. Nous
n'en aurons pas pour
longtemps.

— Regardons à
l'intérieur, suggère Karine.

Elle ouvre la porte de la grange. Les
fillettes et Clara jettent un coup d'œil. Un
courant d'air froid tourbillonne autour
d'elles. Les portes à l'autre bout de la
grange sont grandes ouvertes. Elles voient
une traînée étincelante en sortir et monter
jusqu'au ciel. Elles ont juste le temps de
distinguer une forme argentée qui s'envole
à toute allure. C'est le traîneau volé du
père Noël!

Gnomes grincheux

— Le Bonhomme d'Hiver était ici il y a un instant, dit Karine d'un air déçu. Nous l'avons manqué!

— Cela explique ce froid, acquiesce Clara avec un frisson.

La grange est remplie de bottes de paille. Rachel jette un coup d'œil autour d'elle et voit des morceaux de papier d'emballage un peu partout.

— Le Bonhomme d'Hiver a ouvert les cadeaux du père Noël! dit-elle. C'est affreux!

— Chut! murmure Clara. Il y a des gnomes.

Deux viennent de sortir de derrière une botte de paille. Ils crient et se disputent.

— C'est le mien! hurle le premier gnome qui a une verrue sur le nez.

— Non, c'est le mien! réplique l'autre.

Rachel désigne les cadeaux qui sont l'objet de la dispute.

— Regardez! dit-elle. C'est un des trois cadeaux spéciaux que la reine nous a demandé de retrouver.

— Nous devons le récupérer, répond Clara.

— Les deux autres doivent encore être sur le traîneau, ajoute Karine. Je n'en vois pas d'autres emballés avec ce papier doré spécial.

Les gnomes se bagarrent et roulent sur le sol de la grange.

— Donne-le-moi! crie le gnome à verrue. Il y a peut-être des biscuits de Noël à l'intérieur, ou du gâteau aux fruits ou...

L'autre gnome se lèche les babines.

— Je vais tous les manger!

— Qu'allons-nous faire? chuchote
Rachel. Comment allons-nous leur
reprendre le cadeau?

Karine fronce les sourcils.

— J'ai une idée, dit-elle.
Ces gnomes semblent
aimer les biscuits de Noël.
Clara, pourrais-tu
utiliser la magie pour
créer un parfum de
biscuits?

Les yeux de Clara
s'illuminent.

— Bien sûr,
répond-elle.

— Nous allons dire aux gnomes qu'il y
a une grande assiette de biscuits de Noël
dans le grenier à foin, ajoute Karine. Ils
sont si gourmands qu'ils iront voir.
Comme ils ne peuvent pas grimper à

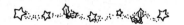

l'échelle avec le cadeau à la main, ils le laisseront en bas et nous pourrons le prendre!

Rachel et Clara lui adressent un grand sourire.

— Excellente idée! dit Clara. Vous allez bientôt sentir un parfum magique de biscuits de Noël!

Et elle s'envole en direction des gnomes.

Le tour de magie de Clara

Rachel et Karine échangent un regard anxieux tandis que Clara volette au-dessus de la tête des gnomes. Ils sont si occupés à se battre qu'ils ne la remarquent pas.

Clara agite sa baguette dans les airs. Quelques secondes plus tard, l'odeur de biscuits tout chauds et frais flotte dans la grange.

Même Rachel et Karine peuvent la sentir depuis l'extérieur.

Les gnomes arrêtent de se battre. Ils lèvent leurs grands nez en l'air et hument cet arôme.

— Des biscuits tout frais! annonce Clara en montrant l'échelle. Dans le grenier à foin! Servez-vous!

— Des biscuits! Miam, miam! s'écrie l'un des gnomes.

Il lance le cadeau à l'autre gnome et s'élance vers l'échelle.

Mais ce dernier veut des biscuits aussi. Il se précipite alors sur l'échelle. Quand il se rend

compte qu'il ne peut pas grimper avec le cadeau dans les bras, il le jette sur une botte de foin.

Rachel et Karine rient en voyant les gnomes gravir l'échelle tant bien que mal, se poussant l'un l'autre. Dès qu'ils sont en haut, elles se ruent dans la grange et Karine saisit rapidement le cadeau.

Soudain, elles entendent un cri :

— Il n'y a pas de biscuits ici. On nous a trompés!

L'un des gnomes regarde en bas.

— Où est passée cette fée de Noël? râle-t-il.

— Vite! dit Clara. Sortons d'ici!

Elles sortent à toute vitesse tandis que les gnomes dévalent l'échelle.

— Poursuivons-les! crie le premier gnome.

À l'extérieur de la grange, Rachel a de

la difficulté à décrocher la laisse de
Bouton. Les gnomes
surgissent sur le pas
de la porte et courent
vers elle. Mais
Bouton se met à
aboyer furieusement
dès qu'il les aperçoit.
Les gnomes semblent effrayés.

— C'est *toi* qui récupères le cadeau! crie
le premier gnome en donnant un coup de
coude à l'autre.

— Non, *toi*! riposte son ami.

Bouton continue d'aboyer et entraîne
Rachel vers les gnomes terrifiés, qui
courent se réfugier dans la grange et
ferment la porte.

— Bon chien, dit Rachel en caressant
Bouton pour le calmer.

Au même instant, Karine montre le

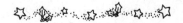

cadeau à Clara.

— Hourra! Nous avons trouvé un
cadeau spécial, dit Clara avec un grand
sourire. Je vais le renvoyer immédiatement
au Royaume des fées.

Elle agite sa baguette au-dessus du
cadeau qui disparaît dans un nuage
magique de baies de houx rouges et
étincelantes.

— Nous nous reverrons
bientôt, dit Rachel à Clara.

— Je reviendrai dès que
j'aurai découvert où se
cache le Bonhomme
d'Hiver! promet Clara.

Rachel et Karine se
dépêchent de retourner dans
la cour de la ferme pour retrouver
M. et Mme Vallée. Ils ont acheté le sapin
que Rachel avait choisi et ils sont en train

de l'attacher sur le toit de la voiture.

— Maintenant, le moment est venu de rentrer à la maison pour prendre un chocolat chaud avec des biscuits de Noël, dit Mme Vallée.

Ils montent dans la voiture, et les fillettes échangent un sourire.

— Ce serait super de manger des biscuits, maman, dit Rachel en se retenant de rire.

— Je crois que Bouton en mérite un aussi, murmure Karine. Après tout, c'est lui qui nous a menées jusqu'aux gnomes et au premier cadeau.

— *Wouf*, acquiesce Bouton.

— Oui, et nos aventures féeriques sont loin d'être finies, chuchote Rachel, les yeux brillants. Il faut sauver le traîneau. Cette année, nous allons avoir le plus beau Noël de notre vie!

Prompte fuite

Table des matières

Magasinage de Noël

Le lendemain matin, les deux fillettes s'apprêtent à aller acheter des cadeaux de Noël avec Mme Vallée. Rachel se brosse les cheveux devant le miroir de sa chambre.

— Noël est dans deux jours! s'écrie Rachel. C'est excitant, non?

—J'ai vraiment hâte, répond Karine,

mais je ne veux pas que Noël arrive *trop* vite. Nous devons d'abord trouver le Bonhomme d'Hiver et le traîneau du père Noël.

— Je sais, acquiesce Rachel. Une fois que nous aurons fini d'aider nos amies les fées, nous pourrons vraiment profiter des fêtes.

— Je dois trouver un cadeau pour maman, dit Karine. Est-ce qu'il t'en reste beaucoup à acheter?

Rachel secoue la tête.

— Juste un, répond-elle. Mais il y a plein de superbes vitrines de Noël au centre commercial. C'est amusant de les regarder, même si nous n'avons besoin de rien.

— Êtes-vous prêtes, les filles? demande

Mme Vallée du bas des escaliers.

— Nous arrivons, maman! répond
Rachel.

Les fillettes dévalent les escaliers en
riant et en bavardant.
Mme Vallée les attend
dans le corridor.

— N'oubliez pas vos
foulards et vos
mitaines, dit-elle en
prenant les clés de la
voiture. Il fait très
froid aujourd'hui, et
le terrain de
stationnement du
centre commercial
est immense. Nous
devrons peut-être
marcher un peu.

Elle ouvre la porte.

d'entrée et va sortir la voiture du garage.

Rachel frissonne quand un courant d'air froid entre par la porte ouverte et fait bruisser les guirlandes du sapin de Noël. Elle resserre son manteau.

— Brrr! s'exclame-t-elle. Maman a raison, il fait vraiment froid aujourd'hui.

— Ne trouves-tu pas que notre sapin est

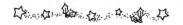

magnifique? dit Karine en enfilant ses
mitaines.

Les Vallée ont mis le sapin dans un coin
de la grande entrée près des escaliers, et les
fillettes l'ont décoré avec des boules et des
guirlandes brillantes.

— C'est le plus bel arbre que nous
ayons jamais eu, approuve Rachel. Je
vais éteindre les lumières, étant donné que

nous sortons.

Karine la regarde débrancher les lumières de Noël. Elle remarque alors que le sapin a l'air différent. Au lieu de la vieille étoile abîmée au sommet de l'arbre, il y a maintenant une belle fée étincelante!

Karine la regarde avec surprise et se rend compte que c'est une *vraie* fée : Clara est perchée en haut du sapin. Elle brille de tous ses feux et salue Karine de la main!

— Clara! s'exclame Karine en riant. Que fais-tu là-haut?

— Je trouvais qu'il manquait une fée dans

votre sapin, plaisante Clara.

Rachel lève la tête juste à temps pour voir Clara descendre en voletant et se poser sur l'épaule de Karine.

— Bonjour, Rachel, dit Clara d'une voix chantante. J'ai l'impression que quelque chose de magique va se produire aujourd'hui! Puis-je vous accompagner au centre commercial?

— Bien sûr, répond gaiement Rachel, mais tu devras te cacher de maman!

— Pas de problème, dit Clara avec un

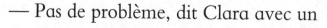

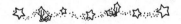

clin d'œil.

Elle se glisse dans la poche du manteau de Karine après avoir replié soigneusement ses ailes. Elle en ressort un instant plus tard et rappelle aux fillettes :

— N'oubliez pas la couronne magique!

— Elle est dans ma poche, la rassure Rachel.

Juste à ce moment-là, elles entendent Mme Vallée klaxonner.

— J'espère que quelque chose de magique va se produire aujourd'hui, murmure Rachel à Karine tandis qu'elles se ruent dehors. Nous retrouverons peut-être le traîneau du père Noël, et les deux cadeaux spéciaux aussi!

— Je l'espère! acquiesce Karine avec un sourire.

L'atelier du père Noël

Malgré l'heure matinale, le centre commercial est déjà bondé quand elles arrivent. Mme Vallée a du mal à trouver une place pour se garer.

— Bon, Rachel, dit Mme Vallée quand elles descendent de voiture. Est-ce que Karine et toi voulez aller magasiner toutes seules? Je dois acheter quelques cadeaux

que je ne voudrais pas que vous voyiez!

— Comme quoi? demande Rachel,
curieuse.

Sa mère éclate de
rire :

— Si je te le disais,
ce ne serait plus une
surprise. Nous
allons nous
séparer et je vous
retrouve dans
une heure, près des
ascenseurs vitrés. Ne
quittez pas le centre commercial et restez
ensemble.

— D'accord, répondent les fillettes.

Mme Vallée monte dans l'ascenseur et
les fillettes restent au premier étage. Elles
parcourent le centre commercial en
admirant les vitrines de Noël. Les haut-

parleurs diffusent des chansons de Noël, et les gens se pressent de tous côtés, de nombreux sacs dans les mains.

Les fillettes ont vite fini leur magasinage de Noël. Karine achète de jolies boucles d'oreilles en argent pour sa mère, et Rachel trouve un livre pour son père.

— Ça va, Clara? chuchote Karine

quand elle met les boucles d'oreilles dans son autre poche.

Clara hoche la tête. Elle jette des coups d'œil furtifs pour voir ce qui se passe. Elle est si petite que personne ne la remarque dans toute cette agitation.

— Allons voir l'atelier du père Noël, dit Rachel à Karine. Il est superbe!

Karine hoche la tête avec enthousiasme et Rachel la mène jusqu'à l'aire centrale du centre commercial. Devant elles se dresse l'atelier du père Noël.

— Oh! s'exclame Karine, les yeux écarquillés. C'est magnifique!

L'atelier se trouve sous une immense tente blanche recouverte de lumières scintillantes qui changent continuellement de couleur, passant du blanc au bleu puis à l'argenté. De longs glaçons étincelants pendent du toit. La tente est entourée de neige artificielle et de grosses peluches en forme d'ours polaires et de pingouins qui saluent les acheteurs. À côté de la tente se trouve une petite patinoire. De jeunes filles et garçons habillés en lutins y patinent les bras chargés de cadeaux, tandis que d'autres font des sauts et des pirouettes. Un petit pont décoré de glaçons brillants permet d'entrer dans la tente.

— C'est joli, non? dit Rachel alors qu'elles s'approchent pour mieux voir.

Une longue file d'enfants attendent de voir le père Noël. Rachel et Karine sont près du pont et regardent patiner les lutins quand une petite fille sort de la tente en courant pour rejoindre sa mère. Elle a l'air bouleversée! Karine et Rachel ne peuvent s'empêcher d'écouter leur conversation.

— T'es-tu bien amusée, ma chérie? demande la maman.

— Eh bien, le traîneau du père Noël
était tout brillant, répond la petite fille en
haletant, et les rennes étaient affectueux et
leur fourrure très douce, mais le père Noël
n'était pas très gentil!

Sa lèvre inférieure se met à trembler
comme si elle allait pleurer.

— Il ne voulait pas me
donner de cadeau, même s'il
en avait plein, et il était tout
froid et piquant!

Rachel dresse
immédiatement l'oreille. Ce
portrait ne ressemble pas du tout au père
Noël, mais plutôt à quelqu'un qu'elle
connaît, quelqu'un de méchant et de rusé.
Elles ont peut-être retrouvé le Bonhomme
d'Hiver!

Un faux père Noël

Rachel prend son amie à part afin que personne ne les entende.

— Karine, Clara! Avez-vous entendu? Je crois que le Bonhomme d'Hiver est dans la tente et se fait passer pour le père Noël! chuchote-t-elle.

Karine la regarde fixement :

— Tu as peut-être raison! répond-elle.

— Oui, ajoute Clara, on ferait mieux d'aller voir.

— Comment allons-nous entrer dans la tente? demande Rachel. Si nous faisons la queue, cela va prendre une éternité.

— C'est vrai, dit Karine. Essayons de nous faufiler par derrière pour voir ce qui se passe.

Les fillettes s'approchent de l'arrière de la tente à pas de loup, tout en surveillant autour pour ne pas se faire prendre. Mais la tente est solidement ancrée et elles ne peuvent pas se glisser dessous.

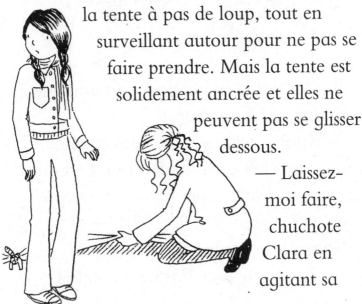

— Laissez-moi faire, chuchote Clara en agitant sa

baguette.

Une pluie de
poussière magique
déferle sur un coin
de la tente : les cordes
se desserrent
immédiatement et un
coin de la toile se
soulève.

— Merci,
Clara, dit
Rachel. Allez
viens, Karine!

Les deux fillettes se glissent
prudemment à l'intérieur où se trouvent
de grosses roches recouvertes de neige
scintillante. Rachel, Karine et Clara se
cachent derrière et fouillent du regard les
alentours.

La tente est illuminée avec des lanternes multicolores qui brillent de mille feux. De longs glaçons étincelants pendent du plafond. Dans un coin se trouve un grand sapin de Noël décoré avec des boules argentées et des guirlandes de lumières multicolores.

Karine frissonne. L'air est glacial dans la tente.

— Il fait vraiment froid ici, chuchote-t-elle. Le Bonhomme d'Hiver ne doit pas

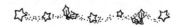

être loin.

En effet, au milieu de la tente se
trouvent le traîneau du père Noël rempli
de centaines de cadeaux, huit rennes
magiques et le Bonhomme d'Hiver! Il est
en train de déchirer l'emballage d'un
cadeau. Tout autour de lui, le sol est
recouvert de morceaux de papier
d'emballage. Il porte un manteau de père
Noël rouge et une fausse barbe, mais il a
toujours son air méchant.

— Apportez-moi un autre cadeau! hurle-t-il en jetant le jeu qu'il vient d'ouvrir.

Ses gnomes, ses serviteurs, se précipitent des quatre coins de la tente, chargés de cadeaux qu'ils déposent dans les mains avides du Bonhomme d'Hiver. Rachel et Karine retiennent leur souffle tandis que les gnomes passent devant leur cachette.

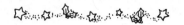

Soudain, Karine remarque quelque chose.

— Regardez, siffle-t-elle en montrant le traîneau. C'est l'un des cadeaux spéciaux!

Le cadeau à l'emballage doré est posé à l'arrière du traîneau, sur un tas d'autres cadeaux.

— Tu as raison, chuchote Clara avec excitation. Et le troisième doit encore y être, lui aussi. Je n'ai pas l'impression que le Bonhomme d'Hiver l'ait déjà ouvert.

— Mais comment allons-nous les prendre sans que le Bonhomme d'Hiver et ses gnomes nous aperçoivent? demande Rachel.

— Si nous restons derrière les rochers, nous pouvons ramper jusqu'à l'arrière du traîneau sans être vues, dit Karine.

— Et je peux vous aider, ajoute Clara avec enthousiasme. Je peux distraire le Bonhomme d'Hiver et les gnomes.

— Comment? demande Karine.

— J'utiliserai la magie pour entrer dans l'un des cadeaux que le Bonhomme d'Hiver est en train d'ouvrir. Cela le surprendra vraiment!

— Excellente idée, déclare Rachel. Nous allons nous glisser à l'arrière du traîneau. Ensuite, Karine prendra le cadeau pendant que Clara créera une diversion. Et moi j'essaierai de poser la couronne magique sur la tête du

Bonhomme d'Hiver.

— D'accord, allons-y, chuchote Karine.

Clara hoche la tête. Elle agite sa baguette au-dessus de sa tête et disparaît.

Rachel et Karine marchent à quatre pattes pour se rapprocher du traîneau, tout en restant cachées derrière les roches. Le Bonhomme d'Hiver est trop occupé à déballer les

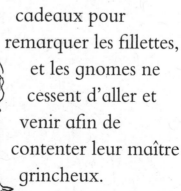

cadeaux pour remarquer les fillettes, et les gnomes ne cessent d'aller et venir afin de contenter leur maître grincheux.

Le cœur battant, les deux amies s'approchent du traîneau. Le cadeau spécial est si proche que Karine peut presque tendre la main et le toucher.

— Maintenant, nous devons attendre que Clara passe à l'action, murmure Rachel.

Les fillettes regardent le Bonhomme d'Hiver qui déchire un autre cadeau.

— Je m'ennuie, grogne-t-il. Pourquoi ne puis-je pas avoir un beau cadeau?

Il jette le papier d'emballage par terre et tient une jolie boîte en bois.

— Je me demande ce qu'il y a à

l'intérieur? marmonne-
t-il entre ses dents.

Soudain, le
couvercle s'ouvre
et Clara surgit au
milieu d'une
avalanche de
baies de houx
rouges et de
poussière magique.

Stupéfaits, le Bonhomme d'Hiver
et les gnomes toussent et crachotent.

— C'est maintenant ou jamais, crie
Karine tandis que le Bonhomme d'Hiver
et ses gnomes regardent Clara avec
stupéfaction.

Poursuite effrénée

Karine tend le bras vers le cadeau spécial. Entre-temps, Rachel a sorti la couronne de sa poche et s'est redressée, prête à la poser sur la tête du Bonhomme d'Hiver.

— Que se passe-t-il? demande le Bonhomme d'Hiver en frottant ses yeux remplis de poussière magique. C'est encore

cette fée de Noël si fatigante! Attrapez-la!

Karine a les mains sur le cadeau spécial et Rachel se penche au-dessus du Bonhomme d'Hiver avec la couronne. Mais à ce moment-là, un des gnomes la remarque et pousse un cri strident en la montrant du doigt!

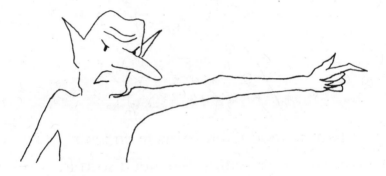

— Attention!

Le Bonhomme d'Hiver se retourne. Ses yeux durs et froids croisent ceux de Rachel et elle se met à frissonner. Le Bonhomme d'Hiver agite rapidement sa baguette et les rennes se mettent à galoper en entraînant

le traîneau. Heureusement, Karine tient
encore le ruban du cadeau spécial.

Alors que le traîneau s'éloigne, le
paquet dégringole et atterrit dans
les bras de Karine.

— Je vous ordonne
d'attraper cette fée!
hurle le Bonhomme
d'Hiver à ses
gnomes tandis
que les rennes
galopent
vers l'entrée
de la tente. Et
ces filles aussi!

— Karine! Rachel!
crie Clara qui fonce
dans les airs pour
échapper aux gnomes.
Sortez d'ici!

Les rennes quittent la tente au galop et commencent à s'élever dans les airs. Les clients lèvent la tête et les regardent avec stupéfaction. Puis ils poussent des exclamations, et se mettent à applaudir et à crier des encouragements, pensant qu'il s'agit d'un spectacle de magie.

Le traîneau traverse le centre commercial et sort par les grandes portes à deux battants. Mais dans la tente, les

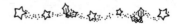

gnomes se rapprochent
dangereusement des
fillettes et les forcent à se
réfugier dans un coin.

— Vous ne pouvez
plus nous échapper
maintenant! lance l'un
des gnomes d'une voix
hargneuse.

— Vous ne nous
tromperez plus, ajoute
un autre.

Karine et Rachel
ont très peur.

— Séparons-
nous et courons
chacune de
notre côté quand
je donnerai le signal,
murmure Rachel.

Elle attend que les gnomes soient tout
près, puis crie :

— Maintenant!

Les fillettes s'élancent aussitôt dans des
directions opposées. Les gnomes les
poursuivent, mais ils ne cessent de se
bousculer, de se pousser et de crier. Ils
foncent les uns dans les autres et

trébuchent sur leurs grands pieds tant ils sont maladroits!

Au milieu du chaos, les fillettes se dirigent toutes deux vers la sortie de la tente. Karine est en tête et Rachel est juste derrière elle, mais un gnome la suit de près. Quand Karine sort de la tente, elle voit un gnome se jeter sur Rachel!

Évasion spectaculaire

Le gnome rate Rachel et tombe, faisant trébucher un autre gnome qui était juste derrière lui. Les fillettes ont réussi à s'échapper, mais elles savent que les gnomes sont tout près. Elles n'ont pas de temps à perdre.

— Vite, Karine! crie Rachel. Tirons sur
ces cordes qui tiennent l'arrière de la tente!

Karine saisit immédiatement l'idée de
Rachel. Les deux fillettes commencent à
tirer de toutes leurs
forces.

Soudain, elles entendent un craquement
et les cordes cèdent. La grande tente
blanche chancelle et s'effondre,
emprisonnant les gnomes sous la lourde
toile.

— Nous avons réussi! s'exclame Karine.
C'était une super bonne idée, Rachel!

— Oui, mais je crois qu'il vaut mieux partir d'ici avant que les gnomes ne s'échappent, murmure Rachel. C'est presque l'heure de retrouver maman, de toute façon.

— Où est Clara? demande Karine en

regardant autour d'elle.

—Je suis ici, répond une petite voix.

Clara vole à toute allure et se pose sur l'épaule de Karine.

Tous les clients sont trop occupés à regarder la

tente affaissée pour remarquer la
minuscule fée.

— Tu vas bien? demande anxieusement
Rachel.

— Très bien! dit Clara d'une voix
joyeuse. Merci d'avoir récupéré le
deuxième cadeau. Le roi et la reine
seront si contents!

Karine lui tend le cadeau et Clara agite
sa baguette au-dessus. La poussière
magique emplit les airs et le cadeau
disparaît pour retourner au Royaume des
fées.

— J'ai presque réussi à mettre la couronne sur la tête du Bonhomme d'Hiver, soupire Rachel en la remettant soigneusement dans sa poche. Mais il s'en est tiré encore une fois et nous ne savons pas où il est allé!

— Mais si, nous le savons! dit Clara avec excitation. Pendant que vous tentiez d'échapper aux gnomes, j'ai suivi le traîneau et j'ai parlé à l'un de mes amis les rennes.

— Qu'a-t-il dit? demande Rachel avec impatience.

— Il m'a dit que le Bonhomme d'Hiver est vraiment agacé que nous ne cessions de le traquer dans le monde humain, explique

Clara. Il veut ouvrir tous les cadeaux du
père Noël en paix, alors il a dit aux rennes
de l'emmener immédiatement dans son
château de glace.

— Son château de glace! s'exclame
Karine. Là où il habite?

Clara hoche la tête.

— Sais-tu où il se trouve, Clara?
demande Rachel.

— Oui, répond-elle. C'est un endroit
glacial et effrayant, mais je peux vous y
emmener demain, si vous voulez encore
aider.

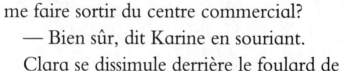

— Bien sûr! s'exclament Karine et
Rachel en même temps.

Clara leur adresse un grand sourire.

— Maintenant,
je vais retourner
au Royaume des
fées et faire mon
rapport au roi
Obéron et à la reine
Titania. Pourriez-vous
me faire sortir du centre commercial?

— Bien sûr, dit Karine en souriant.

Clara se dissimule derrière le foulard de
son amie et elles se
rendent rapidement à
l'une des portes.

Pendant que personne
ne regarde, Clara
sort de sa cachette,
salue joyeusement

les fillettes de la main et fonce dans les airs. Les deux amies la regardent s'envoler jusqu'à la perdre de vue.

Puis elles se dépêchent d'aller aux ascenseurs vitrés du centre où elles ont promis de retrouver la mère de Rachel.

Mme Vallée les attend déjà. Elle tient de nombreux sacs dans ses mains.

— Coucou! dit-elle avec un sourire. Je pensais que vous vous étiez perdues! Avez-vous trouvé tout ce que vous cherchiez?

— Presque! répond Rachel en jetant un
coup d'œil rapide à Karine.

— Avez-vous vu l'atelier du père Noël?
continue Mme Vallée. J'ai entendu dire
qu'il était magnifique... jusqu'à ce que la
tente s'effondre! Mais certains parents ont
dit que le père
Noël était très
grognon.

Rachel et
Karine se
sourient, et
Karine acquiesce.

— Je me
demande ce qui va
arriver demain,
n'est-ce pas Rachel?
murmure-t-elle tandis que Mme Vallée
ouvre les portes de la voiture. Le château

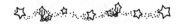

du Bonhomme d'Hiver semble être un lieu vraiment effrayant.

— Je sais, répond Rachel dans un murmure, mais nous ne pouvons pas laisser tomber nos amies les fées.

— Non, renchérit Karine. Nous devons retrouver le traîneau du père Noël et le troisième cadeau.

— Et cette fois-ci, nous mettrons la couronne magique sur la tête du Bonhomme d'Hiver! ajoute Rachel.

Les fillettes échangent un sourire et montent dans la voiture. Elles sont à la fois impatientes et un peu nerveuses en pensant au lendemain!

La veille
de Noël

Un paysage hivernal

Rachel ouvre les yeux et bâille. Elle
s'assoit dans son lit et regarde Karine qui
dort encore. *C'est la veille de Noël!* pense
Rachel avec excitation. Mais ce Noël ne
sera joyeux que si elles réussissent à rendre
le traîneau et tous les cadeaux au père
Noël aujourd'hui. Sinon, le Bonhomme
d'Hiver gâchera tout!

Rachel repousse ses couvertures et frissonne. Même avec le chauffage, l'air est froid. Elle va à la fenêtre et regarde dehors.

— Oh! s'exclame-t-elle.

Il a beaucoup neigé durant la nuit et les arbres, l'herbe et les buissons sont recouverts d'une épaisse couche de neige étincelante.

— Que se passe-t-il? demande Karine en étouffant un bâillement.

— Oh pardon, je t'ai réveillée! dit
Rachel. J'étais juste surprise de voir la
neige!

— La neige? s'exclame Karine.
Elle saute du lit et
rejoint Rachel à
la fenêtre
givrée.

— On
dirait que ça
va être un
Noël blanc,
dit Rachel avec
un sourire.

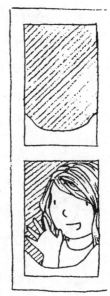

— Ça va être le plus
beau Noël, acquiesce son
amie. À condition que nous revenions
saines et sauves du château de glace du
Bonhomme d'Hiver…

— As-tu peur?

— Un peu, répond Karine, mais je ne renonce pas. Et toi?

— Absolument pas! dit Rachel en riant. Allez viens, habillons-nous et prenons le déjeuner, puis nous irons dehors.

Les deux fillettes se dépêchent de descendre et mangent des œufs brouillés avec du pain grillé. Ensuite, elles enfilent manteau et bottes et se précipitent dans le jardin.

Leurs pieds s'enfoncent dans la neige molle et laissent des traces sur la pelouse. Il recommence à neiger, et de jolis flocons tombent tout autour d'elles.

Karine fait une boule de neige et s'écrie :

— Faisons une bataille!

Elle adresse un grand sourire à Rachel et lui lance une boule de neige.

Rachel se baisse pour l'éviter en riant, mais avant que la boule de neige ne l'atteigne, elle explose en l'air comme des feux d'artifice. De petites étincelles rouges en forme de glaçons jaillissent dans toutes les directions. Stupéfaites, Karine et Rachel regardent Clara sortir de la boule de neige.

— Je suis là! crie-t-elle en secouant les flocons de neige de sa robe rouge. Êtes-vous prêtes, les filles? C'est l'heure d'aller au château du Bonhomme d'Hiver!

Le château de glace

— Nous sommes prêtes, dit
courageusement Rachel.

Karine hoche la tête et vérifie que la
couronne magique est bien dans la poche
de son manteau.

Puis Clara agite sa baguette dans les
airs. Des étincelles rouges en forme de
baies de houx descendent sur les fillettes

qui deviennent de plus en plus petites, jusqu'à être de petites fées ailées.

Clara s'élève dans le ciel en voletant, Rachel et Karine à sa suite.

— Allons-y! s'écrie Clara en agitant de nouveau sa baguette.

Il neige beaucoup maintenant, les flocons tourbillonnent et voltigent autour des fillettes tant et si bien qu'elles ne voient

plus rien.

Puis la tempête de neige se calme aussi rapidement qu'elle a commencé. Rachel et Karine poussent une exclamation. Elles ne sont plus dans l'allée de la maison des Vallée! Elles se trouvent dans un arbre, en face du château de glace du Bonhomme d'Hiver.

Il se dresse en haut d'une colline, éclairé sous un ciel d'hiver gris et maussade. Il est fait de couches de glace et comprend cinq tours couronnées de glace bleue. La glace scintille et brille

comme des diamants, mais le palais garde une allure glaciale et effrayante.

— Faites attention, murmure Clara tandis que deux gnomes passent sous l'arbre. Il y a des gnomes partout. Nous ne pourrons jamais entrer par la porte principale.

— Nous trouverons peut-être un passage par les airs, suggère Rachel en levant la tête.

— Bonne idée, suivez-moi! répond Clara qui s'envole vers l'une des tours de glace bleue.

Les fillettes la suivent.

— Vous voyez ce que je voulais dire? chuchote-t-elle.

Rachel et Karine jettent

un coup d'œil au château en dessous d'elle.
Clara a raison. Il y a des
gnomes devant chaque
porte!

— Nous pourrions
entrer par une fenêtre
ouverte! murmure Rachel.

Clara
hoche la
tête.

— Séparons-
nous pour aller en
trouver une et
revenons ici dans
quelques
minutes.

Elles s'envolent dans
des directions
différentes. Karine
examine le haut de

toutes les tours. Elle voit de nombreuses
fenêtres, mais elles sont toutes fermées. Elle
fait demi-tour pour retrouver Rachel et
Clara.

Rachel l'attend déjà.

— Je n'ai pas eu de chance, soupire-
t-elle. Et toi?

Karine secoue tristement la tête. À ce
moment-là, Clara descend les rejoindre.

— T'étais-tu perdue? demande Karine.

— J'ai dû me cacher de l'un des
gnomes, explique Clara. Il était de garde
et il m'a presque repérée!

— Nous n'avons pas trouvé de fenêtre ouverte, lui dit Rachel. Et toi?

Clara secoue la tête.

— Non, mais j'ai trouvé une autre façon d'entrer! Suivez-moi, ajoute-t-elle avec un grand sourire.

Clara mène les fillettes sur le toit du château et pointe le doigt en bas :

— Regardez!

— Une trappe! s'exclame Karine.

— Quand je me suis cachée du gnome, je l'ai vu soulever cette trappe et entrer dans le château, explique Clara aux fillettes. Je ne crois pas qu'il l'ait verrouillée de l'autre côté.

Elles s'assurent qu'il n'y a pas de gnomes aux alentours, puis elles volettent vers la trappe qui consiste en un bloc de glace avec un anneau métallique.

— Elle semble être très lourde, dit Rachel en fronçant les sourcils.

— Aucun problème, dit Clara avec un sourire.

Elle agite sa baguette et la trappe s'ouvre brusquement dans un tourbillon de poussière magique.

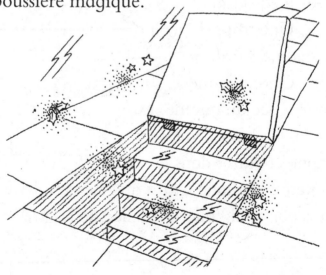

Sous la trappe, des escaliers en glace descendent dans le château. En frissonnant, Rachel, Karine et Clara s'y engagent.

— Nous devons commencer tout de suite à chercher le traîneau du père Noël, murmure Clara aux fillettes.

— Ce n'est pas facile de cacher un traîneau et huit rennes! ajoute Rachel.

— Ils sont peut-être dans les étables? suggère Karine.

— C'est un bon endroit pour commencer, dit Clara, mais soyez

vigilantes!

Les amies volettent dans l'escalier en spirale qui descend jusqu'au rez-de-chaussée du château. Mais au passage, elles heurtent un gnome qui montait.

— Des fées! gronde-t-il. Que faites-vous ici?

Il essaie d'attraper Clara, mais elle s'enfuit hors de sa portée.

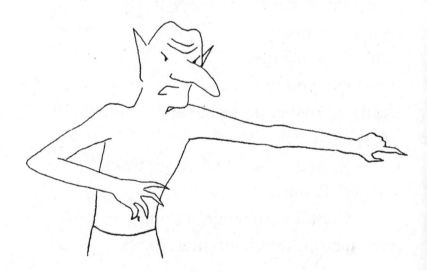

— Au secours, des fées! crie-t-il.

Clara, Rachel et Karine font demi-tour
et remontent les escaliers, mais au tournant
suivant, elles entendent des bruits de pas.
Six gnomes se précipitent vers elles!

Prises au piège!

Les trois amies tentent de s'esquiver,
mais les gnomes les encerclent! Clara et
Rachel se font immédiatement attraper.
Karine essaie de les survoler, mais l'un des
gnomes grimpe sur les épaules d'un autre
et la saisit par la cheville.

Ils rient et jubilent.

— Maintenant, vous êtes nos

prisonnières! Le Bonhomme d'Hiver va
être si content de nous!

Les gnomes emmènent leurs prisonnières
dans la grande salle du château. C'est une
pièce gigantesque sculptée dans des blocs
de glace étincelants. À une extrémité se
trouve le trône du Bonhomme d'Hiver,
formé de volutes de glaçons scintillants.

Mais ce dernier n'y est pas. Il se trouve

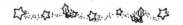

dans le traîneau du père Noël! Les rennes
sont encore attelés et mangent du foin. Le
Bonhomme d'Hiver est en train de
déballer d'autres cadeaux et le sol est
jonché de papier et de rubans.

Les gnomes poussent Rachel, Karine et
Clara, toutes tremblantes, vers le
Bonhomme d'Hiver.

— Regardez ce que nous vous avons

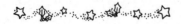

amené, s'exclame l'un des gnomes d'une voix triomphante.

Le Bonhomme d'Hiver lève les yeux vers les fillettes.

— Encore vous! rugit-il en les regardant avec ses yeux durs et froids et en agitant le poing. Vous êtes de véritables trouble-fêtes!

Rachel pousse un petit cri en voyant le cadeau que le Bonhomme d'Hiver tient

dans son autre main et qu'il n'a pas encore ouvert. Le paquet est emballé dans du beau papier doré avec un ruban aux couleurs de l'arc-en-ciel. C'est le troisième cadeau spécial que le roi Obéron et la reine Titania ont demandé

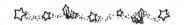

aux fillettes de retrouver!

Rachel jette un coup d'œil à Karine et à Clara. Elles ont repéré le cadeau elles aussi! Mais comment empêcher le Bonhomme d'Hiver de l'ouvrir?

Karine se pose la même question. Elle regarde les piles de papier d'emballage qui jonchent le sol et a une idée subite.

— Que vais-je faire de vous? marmonne le Bonhomme d'Hiver en tapotant le cadeau de ses longs doigts minces. Je crois que je vais vous mettre dans mon donjon de glace le plus profond et vous y laisser pendant cent ans!

— Rachel, chuchote Karine, j'ai une idée. Pourrais-tu distraire les gnomes et le Bonhomme d'Hiver pendant quelques minutes?

Rachel regarde son amie avec curiosité et hoche la tête.

— D'accord, répond-elle dans un murmure.

— Est-ce que nous devons les emmener au donjon? demande l'un des gnomes.

— Je n'ai pas encore décidé, répond le

Bonhomme d'Hiver d'un ton brusque.
Maintenant, taisez-vous pendant que
j'ouvre ce cadeau.

Il le soulève, le secoue
et s'exclame :

— J'ai hâte de voir
ce qu'il y a à l'intérieur!

Les gnomes s'avancent,
curieux eux aussi. Le
gnome qui tient Rachel
relâche son emprise et
elle saisit sa
chance. Elle
s'envole haut
dans les airs et
se dirige droit
vers la porte.

— Attrapez-la! crie
furieusement le Bonhomme
d'Hiver.

Les gnomes se précipitent à la poursuite de Rachel en criant et en trébuchant sur les pieds des uns et des autres. Au même moment, Karine se penche et saisit un morceau de papier argenté et un ruban violet sur le sol. Tandis que le Bonhomme d'Hiver regarde les gnomes depuis le traîneau, Karine sort de sa poche le sac doré qui contient la couronne magique. Elle l'emballe rapidement et noue le ruban autour. Clara la regarde d'un air perplexe. Elle ne comprend pas ce que veut faire Karine.

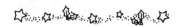

Le Bonhomme d'Hiver regarde ses gnomes essayer d'attraper Rachel et sa colère grandit de plus en plus. En fin de compte, il agite sa baguette et les ailes de la fillette se figent immédiatement dans les airs. Elle tombe et atterrit sur deux gnomes.

— Maintenant, dit le Bonhomme d'Hiver tandis que deux autres gnomes remettent Rachel debout, je vais ouvrir ce cadeau!

— S'il vous plaît, Votre Majesté, dit Karine en s'avançant. Puis-je dire quelque chose?

Le Bonhomme d'Hiver la dévisage.

— Fais vite, dit-il.

— Ayez pitié de nous. Nous étions seulement venues ici pour récupérer ce cadeau spécial, dit-elle en levant la couronne emballée dans du papier argenté. Il est destiné au roi des fées et il est très important. Laissez-nous le lui apporter s'il vous plaît!

Les yeux de fouine du Bonhomme d'Hiver s'éclairent en voyant le paquet que tient Karine.

— Un cadeau pour le roi Obéron? grommelle-t-il. Donnez-le-moi!

— Mais… commence Karine.

— Tout de suite, rugit le Bonhomme d'Hiver.

Un gnome pousse Karine en avant. Le Bonhomme d'Hiver laisse tomber le cadeau qu'il tenait et arrache l'autre des mains de Karine qui s'efforce de ne pas sourire.

Elle savait que le Bonhomme d'Hiver voudrait s'emparer du cadeau du roi des fées! Il arrache le ruban et déchire le papier pour en sortir le sac doré. Il glisse sa main à l'intérieur et saisit la couronne scintillante.

— Ha! Ha! déclare-t-il triomphalement. C'est une nouvelle couronne!

Il la soulève, la dépose sur ses cheveux givrés… et disparaît immédiatement!

Un voyage enchanteur

Les gnomes poussent un cri de surprise.
Ils ne comprennent pas ce qui est arrivé à
leur maître. Vont-ils être les prochains?
Paniqués, ils se précipitent dans tous les
coins de la grande salle. Certains essaient
de se cacher sous des monceaux de papier
d'emballage tandis que d'autres se
dissimulent derrière des glaçons géants.

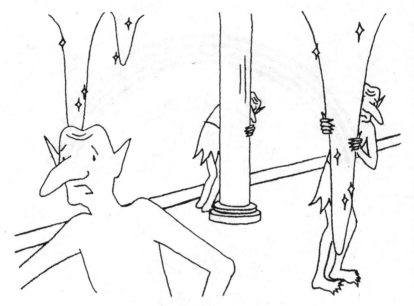

— Excellente idée, Karine! dit Clara en riant.

— Le Bonhomme d'Hiver a été envoyé chez le roi et la reine des fées, s'écrie Rachel.

Elle saute dans le traîneau magique et saisit le troisième cadeau.

— C'est le moment de partir, pour nous aussi! ajoute-t-elle.

— Mais comment allons-nous sortir du

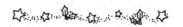

château? demande Karine en montant
dans le traîneau.

— Ne vous inquiétez pas, dit
joyeusement Clara. Le traîneau est
magique, vous savez.

Elle tapote la tête d'un renne.

— Veuillez nous emmener chez le père
Noël, mes amis!

Les rennes secouent allégrement leurs
bois et s'élancent dans la grande salle. Les
gnomes sautent hors de leur chemin. Le
traîneau prend de la vitesse, puis il s'élève

dans les airs et se dirige vers le toit de glace.

— Oh! s'écrie Rachel. Nous allons nous écraser!

Mais par magie, la glace fond à l'approche du traîneau. Bientôt, les fillettes sortent à toute allure du château et foncent dans les nuages. Puis les rennes filent si vite dans le ciel que tout devient confus.

— Voici l'atelier du père Noël! s'écrie finalement Clara.

Les rennes ralentissent et le traîneau flotte vers le sol. Rachel et Karine

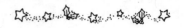

regardent attentivement. Au-dessous
d'elles se trouve la jolie cabane en rondins
qu'elles ont vue dans le bassin des fées. Il y
a une foule de lutins dehors, qui dansent
dans la neige, les clochettes de leurs
bonnets tintant joyeusement.

— Bravo! crient-ils gaiement.
Vous avez trouvé le traîneau et
les rennes!

Quand le
traîneau atterrit,
les lutins se
précipitent pour
flatter les rennes et
leur donner des carottes.

Rachel et Karine
poussent une exclamation
quand le père Noël sort en
courant de la cabane. Il s'est tellement
dépêché qu'il n'a même pas boutonné son

manteau rouge!

— Bienvenue, bienvenue! les salue-t-il avec un grand sourire. Mon magnifique traîneau et mes précieux rennes sont sains et saufs grâce à vous!

— Sommes-nous arrivées à temps pour sauver Noël? demande anxieusement Rachel.

Le père Noël hoche la tête et sourit.

— Oh oui, ça va être un Noël
merveilleux.

— Et les cadeaux que le Bonhomme
d'Hiver a déjà ouverts? s'inquiète Karine.
Est-ce que cela veut dire que certains
enfants n'auront pas de cadeaux?

— Bien sûr que non, dit le père Noël,
l'air choqué. Mes lutins
ont fabriqué
beaucoup de
cadeaux en plus.

À ce moment-là,
des lutins sortent de
la cabane en
courant, chargés de
paquets aux couleurs
vives, qu'ils empilent
dans le traîneau magique.

Une fois le traîneau plein, le père
Noël se tourne vers les trois amies.

— Le roi et la reine veulent vous voir.
Venez avec moi. Je vais aller livrer mes
cadeaux et je vous déposerai en chemin.

Rachel et Karine grimpent à bord. Elles
n'en croient pas leurs oreilles : elles se
trouvent avec le père Noël la veille de
Noël.

Clara les rejoint et le père Noël saisit les
rênes.

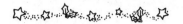

— En route, mes amis! lance-t-il joyeusement aux rennes. Nous avons beaucoup de travail aujourd'hui!

Rachel et Karine échangent un sourire tandis que le traîneau s'élève de nouveau dans le ciel. Elles sont en route pour le Royaume des fées!

Un Noël féerique

Le traîneau du père Noël s'approche du Royaume des fées. Clara et les fillettes voient des feux d'artifice étincelants exploser au-dessous d'elles. De la musique et des rires cristallins s'élèvent jusqu'au traîneau.

— Il y a une grande fête au château, dit Clara en souriant. Ils ont dû apprendre la

bonne nouvelle!

Les rennes volent plus bas et les fées poussent un cri quand elles aperçoivent le traîneau. Rachel et Karine font de grands gestes en voyant leurs amis qui les attendent.

— Excellent travail! commente le roi

Obéron quand le traîneau atterrit.

— Vous avez aidé Clara à sauver Noël! ajoute la reine Titania.

Les fées applaudissent tandis que Rachel, Karine et Clara descendent du traîneau.

— Nous vous avons apporté ceci, dit Rachel en tendant le troisième cadeau au roi Obéron.

— Merci! dit le roi avec un grand sourire. Père Noël, pouvez-vous rester et vous joindre à la fête?

Le père Noël secoue la tête.

— J'aimerais vraiment, mais j'ai
beaucoup de travail à faire! Joyeux Noël!
s'exclame-t-il en riant et en prenant les
rênes.

— Joyeux Noël! répond tout le monde
tandis que le traîneau argenté disparaît
dans le ciel.

— Qu'est-il arrivé au Bonhomme
d'Hiver? demande Rachel.

Le roi fronce les sourcils.

— Nous lui avons enlevé ses pouvoirs
magiques, explique-t-il.

— Il doit rester dans son château de
glace pendant une année entière avant de

pouvoir utiliser de nouveau
la magie, ajoute la reine.
Mais maintenant, c'est le
moment de fêter Noël.
Nous avons des
cadeaux spéciaux
pour vous trois.

Elle frappe dans ses
mains et deux petites
fées s'avancent. Elles
portent les deux
cadeaux spéciaux que
Clara avait ramenés au
Royaume des fées plus tôt.

— Ces cadeaux sont spéciaux parce
qu'ils vous sont destinés! dit la reine.

Rachel, Clara et Karine poussent une
exclamation de surprise et tout le monde
éclate de rire.

— Comme c'est la veille de Noël, vous

pouvez les ouvrir tout de suite, dit le roi avec un sourire.

Il tend à Clara le cadeau que Rachel vient de lui remettre.

Clara déchire impatiemment le papier doré et regarde à l'intérieur de la boîte.

— Une nouvelle baguette! s'exclame-t-elle. Elle est vraiment magnifique!

— Elle est particulièrement puissante, lui dit la reine Titania.

Clara agite la baguette au-dessus de sa tête

et un tourbillon d'étincelles magiques s'en échappe en émettant la musique des clochettes de Noël.

— Elle te permettra de rendre Noël encore plus magique qu'avant, ajoute la reine en souriant.

— Merci! dit Clara avec un grand sourire.

La reine Titania tend les deux autres cadeaux à Rachel et à Karine. Elles ont hâte de voir ce qu'il y a dedans! Rachel ouvre son cadeau une seconde avant Karine et elle pousse un cri de joie.

— C'est une petite fée! dit Rachel, les yeux brillants. Regarde, Karine, c'est une petite fée pour la cime de ton sapin de Noël!

La figurine resplendit de magie. Elle porte une robe blanche avec des reflets argentés et dorés, et une couronne étincelante retient ses longs cheveux. Karine en a une identique.

— J'ai hâte d'aller à la maison et de la mettre sur notre sapin de Noël! dit Karine en souriant.

— Une dernière chose, ajoute la reine en riant. Ces figurines sont magiques. Chaque année, elles vous apporteront un cadeau des fées!

Rachel et Karine sont ravies. Elles ne s'attendaient pas à ça!

— Mais nous ne devrions pas vous retarder, dit soudainement le roi. Il est temps

pour vous de rentrer
à la maison, sinon
vous serez en
retard pour
Noël!

Les
fillettes font
des adieux
rapides et un
grand câlin à
Clara. Ensuite, la
reine agite sa
baguette.

— Merci! dit-elle. Et
joyeux Noël!

— Joyeux Noël! répondent Rachel
et Karine, entourées d'un tourbillon de
poussière magique.

— Joyeux Noël! répètent toutes les fées.

Leurs voix deviennent lointaines et la poussière se dissipe. Rachel et Karine ont repris leur taille habituelle et se trouvent dans la cour des Vallée.

— Nous avons réussi! dit Karine. Nous avons sauvé Noël!

— Allons dans la maison pour mettre la fée en haut du sapin! dit Rachel avec enthousiasme.

Les fillettes se précipitent à l'intérieur. Karine

regarde Rachel placer soigneusement la figurine au sommet de l'arbre.

— Elle est superbe! dit joyeusement Rachel.

À ce moment-là, la sonnette retentit. Rachel va répondre. C'est le père et la mère de Karine.

— Joyeux Noël! s'exclament M. et Mme Taillon avec un grand sourire.

Karine se précipite vers eux.

— Papa! Maman! s'écrie-t-elle.

M. et Mme Taillon restent manger un morceau de tarte et boire un chocolat chaud, puis c'est l'heure de partir pour

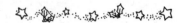

Karine.

— Joyeux Noël! dit Karine à son amie.

— À toi aussi, répond Rachel.

Depuis le pas de la porte où elle se tient avec son père et sa mère, elle salue de la

main la famille Taillon qui part en voiture.

M. et Mme Vallée referment la porte et retournent au salon, mais Rachel reste dans l'entrée avec Bouton. Elle regarde la fée scintillante tout en haut de l'arbre.

Puis elle cligne des yeux. Est-ce son imagination? La fée lui a souri et des étincelles magiques se sont échappées de sa baguette!

Rachel suit les étincelles des yeux jusqu'à un cadeau au papier doré et au ruban qui brille de toutes les couleurs de l'arc-en ciel. Il vient d'apparaître sous le sapin.

Rachel sourit et caresse Bouton. Ce Noël va être le plus beau de toute sa vie!

LE ROYAUME DES FÉES N'EST JAMAIS TRÈS LOIN!

Dans la même collection

Déjà parus :

LES FÉES DES PIERRES PRÉCIEUSES

India, la fée des pierres de lune
Scarlett, la fée des rubis
Émilie, la fée des émeraudes
Chloé, la fée des topazes
Annie, la fée des améthystes
Sophie, la fée des saphirs
Lucie, la fée des diamants

LES FÉES DES ANIMAUX

Kim, la fée des chatons
Bella, la fée des lapins
Gabi, la fée des cochons d'Inde
Laura, la fée des chiots
Hélène, la fée des hamsters
Millie, la fée des poissons rouges
Patricia, la fée des poneys

LES FÉES DES JOURS DE LA SEMAINE

Lina, la fée du lundi
Mia, la fée du mardi
Maude, la fée du mercredi
Julia, la fée du jeudi
Valérie, la fée du vendredi
Suzie, la fée du samedi
Daphné, la fée du dimanche